SocraPig

잡담.zip

— 이 책을 시작하며 —

이 책은 여러분들과 대화를 나누고 싶다는 생각에서 만들게 되었습니다.
책의 부제가 "잡담"인 이유도 이와 같습니다.

집필 과정에서 줄곧 이런 생각을 하다 보니, 일방적인 저의 생각만으로 채워진
책이 아니라 여러분의 생각도 함께 담길 수 있다면 더욱 멋진 책이 될 수 있겠다
라는 생각에 이르게 되었습니다.

그런 의도를 담아서 책 본편 구성에는 가능한 많은 여백을 할애하였고
책 뒤표지 날개에는 여러분 또한 이 책의 저자가 될 수 있도록 저자 프로필란을
남겨 두었습니다.

침묵이나 사색도 좋고 그림이든 글이든 낙서든 뭐든지 좋습니다.
빈 공간을 자유롭게 활용하여 여러분의 다양한 생각이 담길 수 있길 바라며,
그로 인해 이 책이 진정한 의미에서의 완성으로 거듭날 수 있기를 희망해 봅니다.

감사합니다.

목 차

"Shall we Jobdam"

아무것도 안 하자니
뭐라도 해야겠고,
뭐라도 하려니
아무것도 하기 싫고,
우리 그냥 잡담이나 좀 할까요?

"합리화"

"샤덴프로이데 (Schadenfreude)"
남의 불행이나 고통을 보면서 기쁨을 느끼는 심리를 나타내는 용어라고 합니다.

저도 살아오면서 언젠가 이런 감정을 느낀 적이 있었고
그런 제 자신이 그리 달갑지만은 않았습니다.
그러면서 우리가 그런 감정을 느끼게 되는 이유가 궁금해지더군요.

저는 인간이 아무런 이유 없이 타인의 불행을 바라는
사악한 존재라고 생각하고 싶지는 않았습니다.
그래서 한참을 고민하다가 '그 이유가 혹시 안도감이 아닐까?' 하는 생각이
들었습니다.

이 세상에서 나만 불행한 것은 아니라는 동질감으로부터 오는 안도감이요.

그런 결론을 내리고 나니, 역시 인간은 악한 존재가 아니라는 생각이 들어
안심이 되었습니다.
하지만 그러한 마음도 잠시, 또다시 머릿속이 복잡해지더군요.

사람들이 행복보다 불행에서 동질감을 느낀다는 것과 그 감정이 심리학적 용어로
자리 잡을 만큼 일반화 되어있다는 것이 씁쓸하고 혼란스러웠습니다.
그리고 무엇보다 애써 정의 내린 "안도감"이라는 가설에 명확한 논리적 근거가
없다는 점에서 맥이 빠지더군요.

지나친 확증편향으로부터 오는 사고의 오류였을까요?

제가 고민했던 것은 어쩌면 샤덴프로이데 심리의 근거가 아니라,
저 자신이 그처럼 사악한 놈은 아니라는 변명과 합리화였을지도 모릅니다.

"우물 안 개구리"

손 안의 휴대폰과 손가락 하나면

타인의 삶을 들여다보고 내 삶과의 비교가 너무나도 쉬워져 버린 요즘.

그 무엇과도 비교하지 않고 비교할 수도 없는 우물 안 개구리야말로

삶의 행복지수가 높을지도 모르겠습니다.

"청소"

왠지 모르게 멜랑꼴리한 마음을 글로 담아내기 위해서 열심히 써 보는데요.

아무리 쓰고 지우기를 반복해 보아도 도대체가 정리가 잘되지 않았습니다.

급기야 기분전환을 좀 하고 다시 집중할 생각으로

비장의 무기인 블루투스 노래방 마이크를 꺼내 들었습니다.

'딱 세 곡만 불러야지!

아아, 마이크 테스트 첵!첵!'

이렇게 가수들에게 빰 맞을 정도의 엄청난 열창을 토해낸 후,

지쳐서 쉬어버린 목소리로 정신을 차려 보니

세 곡이 아니라 세 시간이 흘렀더군요.

황급히 상황을 정리하고 다시 글을 쓰기 위해 자리에 앉았습니다.

그런데, 어떤 마음을 글로 옮기려 했었는지 도통 알 수가 없었습니다.

기분전환 정도가 아니라 기분 청소라도 된 듯,
표현할 감정 자체가 사라져 버렸더군요.

결과적으로 농땡이가 되어 하루를 공친 것 같습니다만
마음속 시름을 달래는 데는 노래만 한 것이 없는 것 같습니다.

어차피 공친 김에 못다 한 노래나 마저 부르기로 했습니다.

"속삭임"

프로는 연장 탓을 하지 않는다고 하지만
연장이 아예 없다면 연장을 마련해야지.

그리고 기왕에 살 연장이라면,
활용도에 딱 맞는 사양보다는 다소 불필요할 정도의 과한 사양으로 구입해서
나중에 그만큼 더 활용하거나 아니면 후회하더라도 감수하는 거지!
우리 인간의 삶이란 것이 다 그렇지 않니?

우리가 식사를 할 때 몸을 움직이는 데 필요한 에너지를 정확하게 계산해서
딱 그만큼만 먹는 것은 아니잖아?
일단 과하게 먹고 그 후에 운동하거나 자책하거나,
다 그런 거지 뭐.

게다가 남의 돈 훔쳐서 사겠다는 것도 아니고 내가 번 돈 내가 갖다 바치겠다는데
뭐 잘못될 것 있나?
...라고 며칠 전 애플의 신제품 발표 이벤트와 함께 강림하신 지름신께서
속삭이고 있습니다.

"단 한 번"

쉼 호흡을 하고 두 눈을 감고
진지하게 한번 생각해 보세요.

일생에 단 한 번뿐입니다.
마지막입니다.

정말입니다.
삶은 두 번 살 수도 없고
시간을 되돌릴 수도 없습니다.

올해의 오늘 밤은 다시 돌아오지 않고

고로, 오늘 이 밤의 야식 또한 두 번 다시 돌아오지 않습니다.

고민하지 말고 그냥 먹으세요.

살 좀 찌면 어때요.

어차피 죽으면 썩을 몸인 걸요.

"뜻"

당신 "멋"대로가 아니라 당신의 "뜻"대로 하세요.
내키는 대로 하는 행동과 뜻을 두고 하는 행동은
주변과 나 자신의 인생에 전혀 다른 영향을 미칩니다.

"Move"

인생은 깁니다. 하지만 시간은 빨리 흐릅니다.

그래서 조급할 필요는 없지만 그렇다고 헛되이 보낼 시간도 없습니다.

고로, 남을 위해 열심히 일할 시간이 더는 없습니다.

자신을 위한 시간을 가져야 합니다.

어서 퇴근 안 하시고 뭐하세요?

"선물"

참으로 애석하게도,

태산같이 큰 나의 마음이 누군가에게는

티끌 하나만도 못하게 받아들여질 때가 있는 것 같아요.

관계와 마음이란 것이 다 그런 것인가 봅니다.

그런데 참 다행인 것은,

언젠가 내 안에 담기에도 벅찬 커다란 마음을 들고서

선물이라며 내미는 또 다른 누군가가 나타난다는 것입니다.

인연이란 것이 다 그런 것인가 봅니다.

"혼자"

반려견 두부를 집에 혼자 두고 외출할 때가 있습니다.

혼자 있기 싫어하는 녀석의 마음을 아는지라,

조금이나마 위안이 될까 싶어서 두부가 좋아하는 간식과 밥을 주고 나갑니다.

그런데 집에 돌아와 보면 그렇게 좋아하는 간식과 밥에는 입도 대지 않은 채로

그대로 있습니다.

귀가하는 저를 미친 듯이 반겨준 후, 흥분이 조금 가라앉으면

그제야 안심이 되는지 뭐라도 먹기 시작합니다.

그 모습을 보고 있자니 여러 생각이 들더군요.

특별히 잘해주는 것도 없는 내가 뭐라고

그 좋아하는 간식보다 우선이 되는 것인지,

어떻게 자신의 삶 속에서 자신보다 주인이라는 타인의 존재가 더 클 수 있는지,
그러면서도 간식과 놀이 하나로 금세 그렇게 큰 만족감을 느낄 수 있는 것인지,
어쩜 그렇게 하루하루를 단순하면서도 확실한 행복으로 채워나갈 수 있는
것인지······.

우리 사람들이 깨닫고 지녀야 할 단순함과 소소한 행복의 미학
그리고 이타심까지 이미 모든 것을 깨닫고 통달한 듯한 녀석을 볼 때마다
한낱 인생으로 견생을 얕잡아 봐서는 안 되겠다 하는 생각을 하곤 합니다.

"눈물"

'남자가 흘리지 말아야 할 것은 눈물만이 아닙니다.'

남자 공중화장실의 소변기 앞에 서면 흔하게 볼 수 있는 문구입니다.

그런데, 소변은 그렇다 쳐도 눈물은 좀 흘려도 되지 않을까요?

남자라는 동물들은 사회적으로 강한 척을 하도록 길들여진 것일 뿐,

본래 그리 강인한 존재는 아니라고 생각합니다만······.

"대화"

스승의 날이 되면, 저는 항상 아버지를 찾아뵙습니다.
올해도 어김없이 찾아뵈었고 아버지는 한결같은 밝은 얼굴로
저를 맞이해 주셨습니다.

술과 간단한 먹거리를 나누고 무성하게 자란 잡초를 뽑고
함께 누워서 맑은 하늘과 멀리 보이는 산등성이를 하염없이 바라보았습니다.
그리고 핸드폰에 담아간 평소 좋아하시던 노래들도 함께 들었죠.

얼마전 너무도 갑작스럽게 흙과 풀로 남은 아버지와 그 곁의 나.

이날 우리는 서로 말 한마디 하지 않았지만,

아주 많은 대화를 나누었습니다.

"상처"

반려견 두부가 어떤 강아지에게 물렸습니다.

많이 놀랐는지 난생처음 혈변을 보고 이불에 오줌을 싸더니

하루 종일 기운이 빠져 있습니다.

집에서 직접 주사를 놔 주면서 너무 고통스러워하는 모습에 가슴이 미어집니다.

그런데 무엇보다 염려스러운 것은

녀석의 마음이 다치지는 않았을까 하는 것입니다.

몸이 다친 건 얼마든지 치료해 줄 수 있지만
마음이 다치면 제가 해 줄 수 있는 것에 한계가 있기 때문입니다.

오늘은 회사를 쉬고 두부가 좋아하는
잔디 마당에 같이 앉아있습니다.

불어오는 바람결에 상처 입은 마음 위로
새 마음이 돋길 바라며.

"생각 비만"

생각과 고민이 너무 많아서 머리가 점점 비대해지고 있습니다.
머리가 커져서 움직이기도 힘들어지고 그래서 또 행동하지 못하게 되는
'생각 비만'이 아닌가 싶네요.

'지방' 다이어트가 아닌, '생각' 다이어트가 필요한지도 모르겠습니다.

"어리광"

희미해져 가는 뒷모습

선명해지는 이별.

미처 준비되지 못한 마음은

함께 따라가겠다며 울고 떼쓰며 어리광부리고

그 감정을 꾸짖고 또 꾸짖어 애써 꽉 붙들고서

그저 바래줄 수 밖에는 없네.

가는 이의 행복을….

"눈치"

혼자 살다 보면 무엇보다 편하고 좋은 점이

타인의 눈치를 볼 필요가 없다는 것입니다.

그런데 어느샌가

내가 내 눈치를 보고 있더군요.

"너무 먹었나?"

"이걸 사도 되나?"

"내가 이러고 있어도 되나?"

"뭐라도 더 해야 하는 것 아닌가?"

"이렇게 살아도 되나?"

하고요.

언제쯤 눈치 좀 안 보고 살아갈 수 있을까요?

눈치 주는 나와 눈치 보는 내가

하루빨리 하나가 되기를 희망해 봅니다.

" 절제 "

그대 그 마지막 한 젓가락을 들지 않고 내려놓았다면
적당한 포만감으로 '잘 참았다.'라며 스스로 만족할 수 있었을 텐데,

왜 그 한 젓가락을 참지 못하고 과식을 해서
기분 나쁜 배부름에 자책하게 되는 것일까요?

말과 행동에도 그럴 때가 있는 것 같아요.
내키는 대로 다 한다고 마음이 편치만은 않은 것 같습니다.

언행에도 음식처럼 절제가 필요한가 봅니다.

"위안"

" 배터리 "

어김없이 휴일이 찾아오면

담요라는 무선 충전 패드 위에 누워서

온종일 충전만 하고 있습니다.

연식이 오래돼서 그런지,

아무리 충전을 해도 금방 방전되어 버리고 마네요.

완충 소요 시간 48시간, 사용 가능 시간 2시간 30분쯤 되는 것 같습니다.

여러분의 배터리 성능은 쌩쌩하신가요?

"Down"

무엇을 해도 집중이 되질 않아요.
그랬다 지웠다를 반복하고
썼다 지웠다를 반복하기만 해요.

음악 플레이 리스트를 아무리 넘겨도
마음에 닿는 노래 하나가 없네요.

아무리 주파수를 맞춰도
지직거리며 잡음만 내는 고장 난 라디오처럼
이 기분이 맑게 정리되지 않아요.

그래서 이런 그림 이런 글밖에 나오지 않고
이런 나밖에 되지가 않아요.

이런 날도 있는 거겠죠.
다음 날은 나아지겠죠.

뭐, 다 그런 거겠죠.

"게임"

삶이라는 게임을 플레이 해오는 동안,
다양한 퀘스트를 클리어하며 많은 경험치를 쌓아 왔고
그래서 만렙까지는 아니어도 상당한 레벨 업을 했다고 생각했습니다.

그런데 착각이었던 것 같습니다.

'현재에 집중하기.'라는 미션을 깰 수가 없어서
다음 스테이지로 나아가지 못하고 있습니다.

아무리 집중하려 해 보아도
지난날에 대한 후회와 앞날에 대한 두려움으로
마음만 어지러워지고 미션 재도전과 실패를 반복하고 있습니다.

그동안 많은 미션을 헤쳐오면서,
'냉정함'이라는 무기를 얻기 위해서 '용기'라는 아이템을 소진하였고
'객관화'라는 경험치를 얻기 위해 '자신감'이라는 아이템을
모두 사용해 버렸습니다.

현재의 이 퀘스트를 클리어하기 위해서는
무엇보다 이 두 아이템이 필요할 것 같은데,
게임의 룰상, 다시 돌아갈 수도 없고 돌아간다고 해도
어디서 어떻게 얻었었는지 기억이 나지 않습니다.

참, 곤란하네요···.

GAME OVER

▶ 다시하기

▶ 메인화면

"홀로 있는 사람들"

여느 때와 같이 일을 마치고 귀가하는 밤에
여느 때와는 다른 유난히도 기운 빠지고 기분 적적한 그런 날.

몸은 고되고 노곤한데, 그냥 잠자리에 들고 싶지는 않은 그런 밤.

어수선한 마음을 가라앉히려 노란 스탠드 조명 아래 책을 펼쳐보지만
몇 번을 읽어도 마음이 그 내용에 스며들지 못하고 겉돌기만 하는 그런 밤.

이내, 책장을 덮고 무심코 돌린 시선에 닿은 창밖 풍경,
밤의 어둠과 도심의 불빛을 하염없이 바라보게 되는 그런 밤.

그러다 차창에 비친 내 모습에 되돌아본 지난날들,
"다 그런 거지 뭐.", "다 그러고 사는 거지 뭐."라며 감내해 왔던 시간들이
왜인지 조금은 버겁게 느껴지는 청승맞은 그런 밤.

위로까지는 아니더라도 위안 정도의 토닥임이 있었으면 하고
그러면서 시원한 캔맥주 한 모금에 툭, 툭, 털어내고 싶은 뭔가 멜랑꼴리한 밤.

그런 밤, 그런 기분에 곁들이기 괜찮은 노래 하나 추천해 드립니다.

괜찮은 밤 되세요.

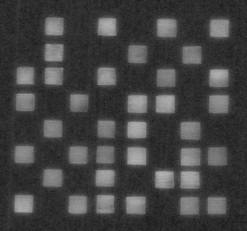

언니네 이발관의 '홀로 있는 사람들'

"한 사람"

잠자리에 누워

핸드폰의 밝은 화면 속 다른 누군가의 삶을 들여다보다가,

잠들기 위해 화면을 끄면 무엇이 보이나요?

검고 어두운 액정 속, 한 사람이 있지 않나요?

잘 알고 지내던 사람 아닌가요?

지금도 그 사람과 친하게 지내고 있나요?

혹시, 너무 오랫동안 잊고 지내진 않았나요?

그 사람은 어쩌면,

그곳에서 줄곧 당신이 말 걸어주기를 기다리고 있지 않았을까요?

"좋아하는 것"

어릴 적부터 성인이 된 지금까지,
한결같이 좋아하는 것이 하나 있습니다.

비눗방울인데요.
주말에 그동안 바쁜 회사 일로 묵혀 두었던
비눗방울 상자를 뜯었습니다.

오래간만에 마당에 나가 비눗방울을 뿜으며,
제가 이 녀석을 좋아하는 이유에 대해서
생각해 보았는데요.

몇 가지 이유가 머릿속을 스치기는 하지만 명확하지는 않습니다.
이런저런 이유를 갖다 붙일 필요 없이 그냥 좋은 것 같습니다.

여러분도 이유 없이 마냥 좋은, 여러분만의 무언가가 있나요?
오늘 하루는 그것으로 가득 찬 하루가 되길 바랍니다.

"재능"

좋고 선한 행동들이 다 돈으로 연결되지는 않듯이
좋은 재능이 모두 다 돈이 벌리는 것은 아닙니다.

돈을 기준으로,
당신의 재능을 소홀히 하지 않기를,
당신의 재능을 평가절하하지 않기를,
그래서 많은 재능들이 세상에 꽃 피기를.

"'이해'라는 것에 대한 고찰"

우리는 살아가면서 "이해"라는 말을 참 많이 사용하고 접하게 됩니다.
하지만, 우리 주변에는 누군가를 이해하지 못하거나 누군가로부터 이해받지 못함에
힘들어하는 경우가 많은 것 같아요. 저를 포함해서 말이죠.

우리가 "이해"라는 단어를 잘 이해하지 못하고 있는 것일까요?
이해란 무엇일까요?

저는 이해란, 결과가 아닌 과정을 헤아리는 일이라고 생각합니다.

수학 문제로 예를 들면, 루트 16의 제곱근이 4라는 것을 외워서 아는 것을
이해했다고 말하지 않죠. 답이 왜 4가 되는지 그 과정을 알아야 이해했다고
이야기합니다.

사람도 이와 마찬가지라고 생각합니다.
어떤 한 사람의 현재 모습은 과거로부터 작용되어 온 수많은 삶의 변수들에
의한 결괏값입니다.
그 사람을 이해하기 위해서는 결괏값이 도출된 과정을 알아야 하는 것이죠.

그런데, 과정을 안다는 것도 쉬운 일은 아닌 것 같습니다.

우리가 나 자신을 포함하여 어떤 한 대상, 그 결괏값의 과정을 헤아리고자
한다면 그 사람의 과거 행적이나 자라온 환경 같은 요인들을 알아야 합니다.

그 사람의 과거 속으로 레엄쳐 들어가, 지금과는 또 다른 그 사람을 발견하고
분석하고 탐구하여야 합니다. 그 사람의 삶, 심연 어딘가에서 들려오는 희미한
흐흐조림에 귀 기울여야 합니다. 그리고 그 요인들 사이에 연결선을 만들어서
그 사람의 세계 전체를 통찰해 내야 하는 것이죠.

우리가 다른 누군가에게 이러한 노력을 기울일 수 있다면,
그래서 이해란 단계에 다다를 수 있다면,
더 이상 우리는 상대가 내보이는 결괏값을 산수 문제의 정답 체크처럼
옳다, 그르다의 잣대로 구분 짓지 않을 수 있지 않을까요?
"이려해서 이랬구나.", "아, 그랬다면 그럴 수 있지.", "많이 힘들었겠구나."라며
상대방을 수용할 수 있지 않을까요?

"이해"란, 이처럼 많은 관심과 인내를 필요로 하는 일이기에
어려운 것이 당연한 일일지도 모르겠습니다.
조금 더 마음의 여유를 갖고 노력해 봐야겠습니다.

socrapig/잡담집

"자화상"

혼자가 속 편한 세상에,
혼자라고 느끼고 싶지는 않은 사람들.

늦은 밤 하늘,
숨죽여 달 주변을 서성이는 구름처럼
누군가의 마음 주위를 배회하는 마음들.

"선"

자신이 할 수 있는 것과 할 수 없는 것.

자신의 욕구인 것과 욕심인 것.

자기 행동의 합당함과 합리화.

이러한 것들만 잘 구분하고 선을 넘지 않을 수 있다면,

조금은 더 괜찮은 삶을 살고 괜찮은 내가 될 수 있지 않을까요?

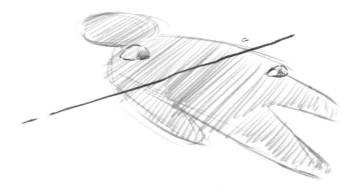

" 습관 "

정리 정돈하는 습관이 몸에 배지 않은 탓인지,

큰마음 먹고 방 정리를 해도 얼마 못 가서 또 어지럽혀지고 맙니다.

마음 정리도 똑같은가 봐요.

다 정리했다 싶었는데 어느샌가 또

온통 그 사람으로 어지럽혀져 있네요.

정리 정돈하는 습관을 좀 들여놓을 걸 그랬나 봅니다.

"차이"

누군가의 고민에 대해서 자신이 생각하는 답으로
충고나 잔소리를 하는 사람이 있는가 하면,
상대가 스스로 자신만의 답을 내릴 수 있도록
필요한 질문을 던져주는 사람이 있습니다.

그것이 꼰대와 스승의 차이가 아닐까 생각해 봅니다.

너는 돼지냐...
소크라테스냐...

"하루"

가만히 생각해 보면,

무엇을 먹어도 불러지는 배를 무엇으로 불릴까?

어떻게든 흘러가는 시간을 무엇을 하며 보낼까?

어떻게든 살아지는 인생을 어떻게 살아갈까?

고민하는 것이 우리의 하루이고 삶인 것 같아요.

만족하는 하루하루를 차곡차곡 쌓아가다 보면 만족하는 삶이 되어있겠죠?

맛있는 음식 드시고 좋은 시간 보내며 만족스러운 하루 보내셨나요?

역시 삶은 계란 이지 앙—

"원동력"

배고픔이란 배부름을 위한 원동력.

불행이란 행복 추구를 위한 원동력.

타인이란 나의 성찰을 위한 원동력.

죽음이란 더 나은 삶을 위한 원동력.

"핑계"

요즘 회사일. 집안일.

또, 일상에서 닥치는 많은 문제들로 머릿속이 복잡합니다.

그래서인지 글쓰기와 글을 쓰기 위한 고민에 집중이 되지 않습니다.

그런데 어쩌면,

안 써지는 글에 대한 핑계로 상황을 꺼내 들었는지도 모르겠습니다. 그래서 다시금

정신을 차리고 펜을 꺼내 글을 씁니다.

타인에게 대는 핑계는 흘러가는 상황과 시간 속에서 희미하게 사라져 가지만,

나 자신에게 대는 핑계는 인생이라는 시간 속에서 영원히 지워지지 않고

나를 괴롭히더라고요.

저는 핑계란 녀석의 괴롭힘이 너무 무섭습니다.

"목표"

저의 생각을 모은 책을 한 권 내고 싶은 목표가 생겼습니다.

계획을 짜고 단기적인 목표들을 세분화해보니
해야 할 일들이 너무도 많았습니다.

회사 일도 야근과 철야가 많은 일인지라,
일을 겸하면서 과연 잘 해낼 수 있을까?
그런 걱정이 앞섰습니다.

그러면서도 가슴이 두근두근 설렜고
퇴근 후, 밤마다 최선을 다해 써 나가고 있습니다.

현시점에서 1차 목표 달성률 32.2%로, 당초 계획인 29.1%보다 3% 정도 앞서고
일수로는 8일이 앞서고 있습니다.

과연, 책을 낼 수 있을지
계획대로 진행해 나갈 수 있을지 잘 모르겠습니다.

다만, 나의 목표를 이루기 위해서
나 자신의 피곤함과 게으름을 상대로 싸워나가는 하루하루가
참 흡족한 요즘입니다.

"비현실"

"선한 일을 권하고 악한 일을 징계한다."
우리가 즐겨보는 소설이나 영화, 드라마 등에서는
이 '권선징악'의 가치를 매우 중요하게 여깁니다.

그리고 오랜 세월 동안, 정말 수많은 작품을 통해서 다루어져 온
주제임에도 불구하고 여전히 많은 사람들에게 사랑받고 있습니다.

그 이유가
권선징악이란 것이 현실에서는 불가능하고 영화 속에서나 가능한 사람들의
이상향이고 이를 통해 많은 사람들이 대리만족을 느끼기 때문이 아닐까
하고 생각해 봅니다.

현실에서 흔하게 일어나야 할 당연한 일들이,
특별하고 멋지게 꾸며진 허구 속의 비현실적 이야기라는 것이
씁쓸하게 느껴집니다.

"내로남불"

내가 누리는 차별은 권리이고, 내가 당하는 차별은 불공정이고.

"투명인간"

투명인간이라면 좋을 텐데요.

이렇게 보고파서 찾아와 볼고 들킬까 걱정 안 해도 되고,
그래서 또 멀어질까 조마조마하지 않아도 되고요.

또, 더는 그 사람이 그리워지지 않을 만큼 마음껏 바라보며
두 눈 가득히 담아 둘 수도 있을 테고,

적당하지 못하고 과한 이 마음,
집착으로 오해하지 않도록 감춰 둘 수도 있을 테니까요.

"진실"

만약, 신이 인간에게서 말과 글을 빼앗았다면,

인간은 조금 더 진실될 수 있었을까요?

"SocraPig"

"배부른 돼지보다 배고픈 소크라테스가 낫다."
저는 이 말을 접할 때면 많은 고민에 빠지곤 합니다.

이 문장 속의 돼지와 소크라테스는 어떤 의미일까?
나는 돼지에 가까운 존재일까? 소크라테스에 가까운 존재일까?
나란 존재는 어느 쪽에 속하고 어떻게 살아가야 하는 것일까?

세상을 살아가면서 현실적이라는 핑계로
너무 양적 쾌락에만 초점을 맞추고 있는 것은 아닐까?

혹은, 나 자신이 만족하는 삶, 그 질적 쾌락의 추구를 위해서
너무 현실과 동떨어진 이상론자가 되고있는 것은 아닐까?

한참을 생각에 잠기다가 어느덧 해 질 무렵,
"꼬르륵···" 하고 배가 고파오면
결국, 이 두 가지 속성을 분리하는 것을 포기하게 됩니다.
그리고 받아들이게 됩니다.

나는 개인이기도 하지만 이 사회의 구성원이기에,
사회 속의 구성원이지만 나 개인이기도 하기에,
내가 속한 사회와 나를 둘러싼 환경을 뛰어넘을 수도 없고
물질에 초연할 수도 없는 그저 평범한 인간이기에,
제 안에는 소크라테스와 돼지가 공존할 수밖에 없는 것 같습니다.

저는 제 안의 서로 다른 두 자아가 대화와 타협을 통해 내린 결정으로
하루하루를 살아가는 존재, 소크라테스와 돼지의 중간자,
"SocraPig" 정도가 아닐까 생각합니다.

서로 대립하고 있는 두 존재의 협치를 잘 이끌어내어
몸과 마음의 적당한 포만감을 유지하며 살아갈 수 있었으면 좋겠습니다.

"공통점"

어떤 작품을 만들어 가는 과정에 있어서

많은 사람들의 의견을 듣는 것은 '명작'으로 가는 지름길입니다.

하지만 많은 사람들의 의견을 반영하는 것은 '망작'으로 가는 지름길이더라구요.

작품뿐만 아니라 인생을 살아가는 과정도 마찬가지 아닐까요?

"자장가"

이따금 힘든 고민을 토로할 때면,
아버지는 항상 이렇게 말씀해 주시곤 하셨습니다.

"영훈아, 괜찮아, 정말 별거 아니야."
"너무 심각하게 고민 안 해도 돼. 선택하고 아니다 싶으면
그때 또 다른 길이 있어. 인생이 그런 거야."

돌이켜보면 이 말들은 저에게 있어 단순한 위로의 말이 아니었습니다.

마음을 가라앉히고 깊은숨을 고르듯,
얽히고설킨 복잡함으로부터의 환기와 같았습니다.

얼어붙은 마음으로는 아무것도 할 수 없으니,
일단 몸부터 녹이라고 조용히 덮어주는 이불과 같았습니다.

또, 한잠 자면서 복잡한 생각들을 비우라고 불러주는 자장가와 같았습니다.

그렇게 한 토막 휴식을 취하고 나면,
저는 한결 편안하고 안정된 마음으로 고민의 본질을 바라볼 수 있었고
단순하면서도 확실한 답을 내릴 수 있었습니다.

이것을 깨달은 지금,
이젠 더 이상 들을 수 없는 아버지의 자장가가 그리워집니다.

"기도"

삶에 있어 필요한 것과 소중한 것을 구분할 수 있는 지혜와

소중한 것을 위해 행동할 수 있는 용기가

늘 함께하기를...

"습기 머금은 날"
[Because I'm weary]

그런 날이 있죠.

비가 한가득 내리고
마음속에도 습기 잔뜩 머금은 날.

또 그런 눅눅함을 애써 말리고 싶지도 않고
왠지 모르게 축축 처지는 기분을 그냥 그렇게 내버려 두고 싶은 날.

누군가에게 이 마음을 위로받고 싶지만
설명할 방법도 모르겠고, 모든 것이 귀찮은 날.

살짝 쌀쌀한 실내 공기에 얇은 가디건 하나 걸치고 앉아서
따뜻한 차의 온기에 입김 호호 불어 가며,

창밖과 내 마음속에 밤새도록 내리는 궂은비를
그냥 우두커니 바라보고 싶은 그런 날.

빗소리에 곁들여 듣기 좋은 노래 하나 추천해 드려 봅니다.

Ernest의 "Because I'm weary"

"삭제"

대화창을 지우듯,
연락처를 지우듯,
사진을 지우듯,

기억도 마음도 그렇게 지울 수 있다면
얼마나 좋을까요.

"○○○" 님에 대한 기억과 감정이
당신에게서 영구적으로 삭제됩니다.
삭제하시겠습니까?

삭 제	취 소

"잡초"

며칠간 내렸던 비가 갠 후, 햇살 화창한 날.
어수선하게 자라있던 앞마당의 잡초들을 뽑았습니다.

비로 인해 땅이 축축해진 덕분에
잡초 뿌리들이 생각보다 손쉽게 뽑히더군요.

무성한 잡초들을 다 뽑아내고 땅을 닦으며 한결 정갈해진 마당을 바라보고
있자니, 문득 우리 마음도 이와 비슷할지 모르겠다. 라는 생각이 들었습니다.

속상한 일이 있을 때, 실컷 울고 나면 왠지 마음이 정리되는 것 같고
기분이 한결 가벼워지지 않던가요?

눈물로 인해 마음이 충분히 촉촉해져, 무성하게 자란 마음속의 잡초들이
한결 쉽게 제거될 수 있는 것은 아닐까요?

뽑아도 뽑아도 잡초는 또 자랄 테지만 별수 없는 일 아니겠습니까.
아프면서도 살아가고, 슬프면서도 살아가고, 피로우면서도 살아가고,
그리우면서도 살아가겠지요.

그간 많이 힘들었고 많은 눈물을 흘렸다면,
오늘은 마음속에 자라난 무성한 잡초들 모두 뽑아내고
맑은 햇살에 기지개 펴는 하루 되시기 바랍니다.

"우선순위"

돈이 많다고 해서 행복한 것은 아니라고 하지만

그건 내가 판단할 테니, 일단 돈이라도 많아 보고 싶다.

행복이 뭔지는 아직 모르겠고 그건 내가 알아서 찾아볼 테니까,

우선 돈이라도 많아 보고 싶다.

행복은 세상을 살아가는 동안에 발견해 나가야 하는 것인데

그 세상을 살아가려면 돈 없이는 불가능하니,

일단 돈이라도 많아 보고 싶다.

"질문"

빙하는 우리 예상보다 훨씬 빨리 녹을 거라고 해요.
온난화로 인해 지구의 인구증가율과는 반대로
농, 경작물의 수확량이 엄청난 속도로 줄어들고 있다고 해요.

우리 눈에 보이지 않고 체감하지 못할 뿐이지,
재앙과 재난은 이미 시작되었다고 합니다.

우리 삶과 소비의 형태, 정말 이대로 괜찮을까요?
집 하나 없는 것만으로도 서러워 하는 우리인데, 삶의 터전 없이 괜찮을까요?

우리 대부분은 올지도 모르는 미래를 준비하느라 현재도 희생하면서 살잖아요.
그런데 그 미래가 이런 미래여도 정말 괜찮은가요?

"Play List 01"

제목: Freemusic

아티스트: 조PD

유토피아는 헛된 꿈이야
모두 자기 이익 쫓아 움직일 뿐이야

부익부 빈익빈 부조리로 가득한
자본주의의 희생자가 내가 될 줄이야

모두 속물이야 그이상은 무리야
우린 돈을 먹고 살아가는 동물이야

"과대망상 [Robotism]"

AI와 로봇들은 점점 인간의 역할을 대신해 가고 있습니다.
심지어 지금은 AI가 인간의 지적 처리 능력을 앞서 버렸습니다.
이들은 계속해서 보다 정확하고, 빠르고, 강한 모습으로
우리 인간의 영역을 침범해 오겠지요.

이러한 인공지능 로봇들과의 뒤섞임이 점점 가까워져 오는 시대에
우리 인간은 어떻게 정의 내려져야 할까요?
인간과 로봇이 구분될 수 있는 인간만의 유일함은 무엇일까요?

그것은 어떤 일의 결과가 아닌 과정에서 찾아볼 수 있지 않을까 생각합니다.
어떤 일을 행하는 과정에는 마음가짐 그리고 실수와 실패, 반성과 성찰 등의
모습들이 있죠. 우리는 이런 미숙함을 '인간미'라고 합니다.

AI나 로봇들이 아무리 빠르고 완벽한 결과물을 도출한다고 해도
사람 냄새 풍기는 '미숙함'을 갖추지 못하는 한,
로봇은 어디까지나 인간 같아질 뿐 인간다워질 수는 없다고 생각합니다.

그런데, 이 시대가 점점 이러한 인간다움을 용인하지 않는 것 같습니다.
과정은 무시되고 생산성이나 효율성과 같은 좋은 결과에만
집중해 가고 있는 것 같습니다.

이 사회에서 이렇게 인간다움이 평가절하되어 사라져가고 조금씩 조금씩
사람 냄새가 지워져 간다면, 우리는 어떻게 될까요?

그런 시대에 그런 세상이 만들어놓은 그런 경쟁에서는,
우리 인간이 타고난 천재인 로봇들을 이길 재간이 없지 않을까요?
그렇다면 우리 인간은 정말 로봇보다 나을 것 없는, 단지 '열등한 존재'로만
규정되어 버릴지도 모를 일입니다.

자본주의 시대에 인간의 무절제는 끊임없는 비교를 낳으며 자존감의 상실을
가져왔지만, 로봇주의 시대에 인간의 무절제는 끊임없는 무기력을 낳으며 존엄성의
상실을 가져올지도 모릅니다.

"어버이날"

어버이날,
지금껏 낳고 길러 주신 어버이의 은혜에 감사함을 전하는 날입니다.

하지만 개인의 행복 추구, 비혼, 딩크 부부 등 결혼에 대한 다양한
가치관 형성으로 인해, 어버이가 되는 것이 기피되는 시대의 흐름 속에서
많은 생각들을 하게 되네요.

이러한 기피 현상을 야기시키는 다양한 사회적 요인들이 어딘가 모르게
씁쓸하면서도 한편으로는, 부모가 된다는 것이 당연한 것이 아니라
얼마나 힘들고 큰 책임이 따르는 것인지를 더욱 진지하게 고민하며
깨달아 가고 있는 시대가 아닌가 하는 생각도 해봅니다.

뭐가 되었건,
오랜만에 서로 미소를 전하는 좋은 하루가 되기를 바랍니다.

"미혼모"

정확하지는 않지만 7년 전쯤으로 기억합니다.

그 무렵부터 미혼모분들을 위한 단체에 가입하여 작은 힘이나마 보태기
시작했습니다. 저는 어른으로서, 자라나는 아이들이 행복할 수 있는 세상을
만드는 데 일조하고 싶었고 그러기 위해서는 그 아이들에게 환경이 되어주는
부모라는 존재가 행복해야 한다고 생각했기 때문입니다.

그리고, 결코 쉽지 않은 세상에서 자신과 아이의 행복을 스스로 건설해 나가는
미혼모분들이 존경스러웠고 그만큼 그런 분들을 향한 사회적 편견을 이해하기
어려웠습니다.

그런데, 최근 한 방송인의 미혼모 선언에 대한 일부 누리꾼들의 반응에
놀라움을 감출 수 없었습니다.

해당 이슈와 관련해서 각자의 생각과 해석이 다를 수 있다고 생각하고
사회적으로도 충분한 논의가 필요하다고 생각합니다.

하지만 가족의 형태를 "정상", "비정상"으로 나누고 비정상적이고 좋지 않은
환경의 가정에서 자란 아이들이 사회에 악영향을 끼칠 것이란 논리에는
좀처럼 동의하기가 어려웠습니다.

저 역시, 환경이 아이들에게 있어서 매우 중요하다는 데에는 동의 합니다.
하지만 그 환경을 조성하는 핵심이 겉으로 보이는 구색 맞추기에 있지는 않다고
생각합니다.

"아이들이 희망을 품을 수 있는 곳인가?" 또 "아이들을 진심 어린 마음으로 응원하고
그 마음을 나눌 수 있는 이가 있는가?" 가 좋은 환경의 본질이라고 생각합니다.

물론, 평범하고 안정적인 가정을 지향하고자 하는 그 뜻을 이해 못 하는 것도
아니고 모든 가정이 그럴 수 있다면 더할 나위 없이 좋겠지요.
그러나, 현실은 그렇지 못한 경우도 많이 있고 그러지 못하다고 해서
그들을 편견의 사각지대로 내모는 것은 바람직하지 못하다고 생각합니다.

그렇게 생각하는 이유는 아이들에게 있어서 환경이란, 가족 구성원뿐만 아니라 우리들도 포함된다고 생각하기 때문입니다.

우리의 생각, 눈빛, 말투, 행동들이 어떤 아이들에게는 상처가 될 수도 있으며 그로 인해 한 아이의 삶은 전혀 다른 방향으로 전개될 수도 있습니다. 그래서 우리 사회에는 가정환경이라는 말과 동시에 사회적 환경이라는 말도 존재하는 것이겠지요.

우리가 정말로 좋은 환경 제공과 아이들의 바른 성장을 바란다면, 그들을 바라보는 우리 자신의 생각에 대해서도 한 번쯤 심사숙고해 봐야하지 않을까요?

"드라마"

사랑은 누구나 각자 나름의 사연이 있고
사람들이 모이는 곳에는 항상 갈등이 있기 마련이죠.
그런 사람들과 사건들을 모아 엮으면 한 편의 드라마가 만들어집니다.

당신이 주인공인 드라마에서
지금의 당신은 어떤 시기, 어떤 사건 속에 있나요?
또, 그 안에서 어떤 감정을 느끼고 있나요?

TV에서도 Youtube에서도 Netflix에서도 볼 수 없는,
그 드라마의 시청자가 되고 싶네요.

물론, 출연자가 될 수 있다면 더욱 좋겠지요.

단역이 아니라 당신의 상대 주연이 될 수 있다면,
그 기분은 정말이지,
말로는 다 설명할 수가 없을 것 같아요.

"모래시계"

모래시계의 시간은 흐르지 않고 고인다.

고인 기억은 사라지지 않고 영원할 수 있을까?
고인 마음은 변하지 않고 지속될 수 있을까?

고인 시간을 다시 뒤집으면, 그대로 다시 돌아갈 수 있을까?

돌아갈 수 있다면,
차마 하지 못했던 그 말을 전해 볼 수 있을까?

"완성"

성공한 사람들과 이를 다루는 매체들이
성공의 요인으로서 늘 손꼽아 이야기하는 것이 있죠.
바로 '꾸준함'인데요.

꾸준함의 중요성에 대해서는 잘 알고 있으면서도
행동에 옮기기는 정말 쉽지 않은 것 같습니다.
사실, 쉽지 않은 정도가 아니라
살아가는 데 있어서 가장 어려운 일이라고 생각합니다.

꾸준함이란 녀석은 왜 이렇게 어려운 것일까요?

우리가 성공한 사람들에 비해서 게으르고 의지박약이기 때문일까요?

그렇다면 알면서도 고쳐지지 않는 이유는 또 무엇일까요?

혹시, 근본적으로 다른 이유가 있는 것은 아닐까요?

고민에 고민을 거듭하다가 문득, 이런 생각을 해 봤습니다.

"우리가 꾸준함을 적용시키는 대상을 잘못 설정하고 있는 것은 아닐까?"

"그 대상을 고민하는 과정에서 잘못된 질문을 던지고 있던 것은 아니었을까?"

많은 사람들이 성공을 위해서 고민하는 과정은 대체로 이럴 것입니다.

우선, "성공"이라고 하면 자연스럽게 부의 축적을 생각하겠지요?

그리고 "무엇을 해서 돈을 벌지?"와 같은 질문을 던지며 돈을 벌 수단에 대해서

고민하고 그 수단에 "꾸준함"을 적용하려 할 것입니다.

그런데 오늘날처럼 변화무쌍하고 빠르게 급변하는 시대에 돈이 되는 수단이라는

것은 매년, 매달, 매일 바뀔 수밖에 없습니다. 그래서 어떠한 하나의 수단

즉, 그 대상에 대한 꾸준함은 애당초 불가능한 얘기가 되어 버립니다.

그렇다면 성공한 사람들은 어떻게 달랐을까요?
저는 그들의 말과 행동을 들여다보면서 그들이 어떤 질문을 하며
무엇을 고민해 왔는지, 어떤 대상을 선택해 왔던 것인지
짐작해 볼 수 있었습니다.

그들은 "무엇으로 돈을 벌지?" 라는 질문 이전에,
"나는 현재 어떤 사람이고 또 어떤 사람이 되고 싶은지", "어떤 일을 하고 싶고
무엇을 이룬 사람이고 싶은지"에 대한 질문을 던지며 자기 자신에 대해서 고민해
왔다고 생각합니다.

꾸준함의 대상이 다른 외적 대상이 아닌 바로 자기 자신이었던 것이지요.

즉, 그들에게 성공이란 바로 자기 자신의 완성이기에, 매일 같이 시간을 투자하고
머리 싸매고 고민하며 최선을 다할 수 있었던 것은 아니었을까요?

만약, 저의 추론이 사실이고 우리가 꾸준함을 통한 성공과
자신의 만족에 이르고자 한다면,
우리의 의지박약이나 게으름만을 책할 것이 아니라
우리 자신에게 새로운 질문을 던져야 할지도 모릅니다.

진짜 꾸준히도
처 먹는다...

항상 배고파라!!
　　항상 부족하라!!

" 명제 "

자본주의=차별

이 명제에 대해서 어떻게 생각하세요?

등호에 빗금을 그어,

자본주의는 ≠차별 라는 명제로 바꾸고 그것이 '참'임을 증명해 보고 싶은데요.

저의 인지 부족인지, 지식 부족인지, 확증편향인지,

선 하나가 쉽사리 그어지지 않네요.

선을 긋는다고 해도 자문자답을 해 보면 그 명제는 '거짓'이 되어버리고 맙니다.

이 시대에 당연시하고 받아들여야 하는 '자본'과

당연시하지 말고 경계해야 하는 '차별',

이 두 단어가 실은 전혀 다르지 않다는 결론만 도출될 뿐입니다.

사실 자본주의를 반드시 평등이나 공평 등의 개념과 등치시킬 필요는 없다고
생각합니다. 성인으로서 어느 정도 받아들이고 감수할 수 있다고 생각합니다.

하지만, 이것이 올바른 것인지는 모르겠습니다.

아이들이 물어오면 뭐라고 답해 주어야 하죠?
각자 알아서 살아가며 답을 내도록 침묵해야 하나요?
쓸데없이 궁금해하지 말고 묻지도 말기를 바래야 할까요?
아니면, 차별은 당연하다고 당당하게 가르쳐야 옳은 것일까요?

이러한 이유 때문에라도 고민에 고민을 해서 빗금을 긋고 싶은데,
빗금이 그어질지 잘 모르겠습니다.

"내 입 내 말"

내가 뭐 국민의 표를 얻고 사는 정치인도 아니고,
대중의 관심을 먹고 사는 연예인도 아니고,

이리저리 눈치 보며 못할 말이 뭐 있겠나?
내 생각은 표현하고, 하고 싶은 말은 하고 살아야지.

침묵이 금이고 힘이라고 하는데,
글쎄올시다.
스트레스와 화병밖엔 안 되는 것 같더이다.

"틀린 말"

편리함이라는 단어에는

'편하다'와 '이롭다'의 의미가 내포되어 있습니다.

그런데 과연, 우리가 누리는 편리는 모두에게 전적으로 이로운 것일까요?

어떤 편리가 우리에게 제공되기 위해서는

항상 누군가의 희생이 따르더군요.

항상 무언가의 훼손이 수반되더군요.

이러한 외적 요인뿐만 아니라, 우리 안의 어떠한 가치를

하나둘씩 사라지게 하거나 뒤틀고 변질시켜 버리는 경우도 있더라고요.

또, 불가능하던 것을 가능케 하는 "편리"라는 녀석에게는,
해서는 안 될 행위를 행해도 되도록 하는 면죄부를 주기도 합니다.

그렇게 하여, 우리도 모르는 사이에 우리 스스로 부조리한 사회 구조나
사회 모습에 일조하게 되는 상황이 만들어지기도 합니다.

우리가 방바닥에 누워 손가락 터치 하나로 누리는 로켓속도의 편리함은,
생각보다 많은 변질과 파괴를 양산하며 우리와 사회를 병들게 하고 있는지도
모릅니다.

편리함은 단지 편하기만 할 뿐, 이로운 것은 아닐지도 모릅니다.

"되풀이"

예기치 못한 사고와 실수로 안타까운 목숨을 잃어야 했죠.

그래서 다시는, 같은 사고를 되풀이하지 말고 같은 아픔을 겪지 말자고

전문지식을 업데이트하고 규율과 제도를 만드는 거잖아요.

그런데, 그것을 무시하고 어기면 사고가 안 나고 배기나요?

궁금하네요.

왜 그러는 것인지? 왜 반복하는 것인지?

그 불행의 당사자가 본인이 아니라서 개의치 않는 것인지?

내려앉은 건물, 무너진 다리, 불타버린 역사, 뒤집혀버린 배.

도대체 몇 명이 목숨을 잃고 몇 번을 되풀이한 후에야 똑바로 할 것인지?

요즘은 AI도 반복되면 학습을 하고 하다못해 동물들도 반복을 통해서 학습을

하는데, 사람인 당신들은 왜 못하는 것인지? 아니면 안 하는 것인지?

또다시 어이없게 죽어간 목숨들은, 그 가족들은,

짓궂은 신을 탓하고 애꿎은 운명만 탓해야 하는 것인지?

범인인 당신들은 지금 무슨 생각을 하고 있는지?

카메라 뒤로 몸을 숨기고

무너져내린 주가와 증발해 버린 돈을 메꿀 술책만을 고민하고 있을런지?

"탓"

노력 안 하는 사람이 꼭 환경 탓한다고요?

그럼, 맹자의 어머니께서는 왜 환경을 탓하며 이사를 갔겠습니까?

그것도 무려 세 번씩이나요.

맹자의 어머니와 같은 어른을 보기 드문 시대와

그에 걸맞은 척박한 환경 속에서 고군분투하는 모든 분들,

진짜 대단한 거예요.

자기 자신에게 박수 세 번!

짝! 짝! 짝!

노력 탓만 하는 어른들은

회초리 세 대!

착! 착! 착!

"상상의 나래"

정부의 저출산 대책 예산은 해마다 높아져서
연간 40조 원에 다다른다고 합니다.
그럼에도 불구하고 출산율은 계속 하락하여 급기야
한해 사망자보다 출생자가 적은 인구감소의 시대가 와버렸습니다.
이러한 출산 기피 현상이 계속되는 주된 요인이 무엇일까? 고민해 보았는데요.

그 이유가 아이를 키우는 과정에서의 경제적인 지출보다도
아이만 키우다가 사라져버린 내 인생에 대한 무보상과 무관심이 아닐까?
그래서 무엇보다도 육아를 하는 사람들에 대한 사회적 인식과 환경을 개선해야
하지 않을까? 하는 생각이 들었습니다.

그러한 방향성에서,
지원금을 아이를 키우는 데 필요한 육아 지원금이 아닌,
양육의 노고에 대한 보상금으로 지급하는 것은 어떨까요?

남자든 여자든 상관없이 육아를 전담하는 사람의 노고를 노동으로 인정하고
그 노동의 대가를 급여 개념으로 다달이 지급하는 방식으로 말이죠.
또, 육아 후 재취업 시에, 육아에 따르는 엄청난 육체적 정신적 노동을
경력으로 인정하는 사회적 분위기와 합의가 도출될 수 있다면,
지금보다는 많은 것들이 나아질 수 있지 않을까요?

아이를 돈과 결부시키냐는 부정적인 견해도 있을 것 같습니다만,
자본주의 시대에 특히, 지금과 같은 물질 만능 시대에서 돈은
단순히 가치 교환의 수단으로만 사용되는것은 아니라고 생각합니다.

돈이란, 이 사회에서 내 가치에 대한 인정입니다.
또, 누군가에게는 자기 삶에 대한 평가의 척도이기에 자존감과도 연결됩니다.
그리고 돈은 앞날에 대한 계획 중, 큰 부분을 차지하기에
불확실한 미래에 대한 대비이자 희망이며 그로 인한 심리적 안정이 되어주기도
합니다.

이 모든 것들이 사라져버린 삶을 상상해 본다면,
육아를 하다가 지쳐가는 이들의 우울증과 공허함, 그로 인한 육아 기피 현상은
공감이 가고도 남더군요.

노동을 돈으로 치환하여 보상하는 것은,
자본주의 시대에 아주 보편적이고 당연한 일이라고 생각하는데,
그것이 육아라는 노동에는 왜 적용이 안 되었던 것인지···.
오히려 저로서는 수수께끼입니다.

아무튼, 너무 허황된 생각일 수도 있습니다만
40조 원이라는 돈을 위 방향으로 집중한다면 출산율 및 육아 관련 사회
이슈들에 대한 해결의 실마리를 찾아볼 수 있지 않을까? 하며
상상의 나래를 펼쳐보았습니다.

경력증명서

성명	○ ○ ○	생년월일	0000 00 00
주 소	△△△구 △△△동 △△△△		
소속	가정	직급	부모
주요경력	육 아		
재직기간	10년 8개월		

상기와 같이 재직하였음을 증명함.

202△년 △△월 △△일

대한민국 대통령

"취중진담"

나쁜 짓을 하다가 걸려서 논란이 되고
해서는 안 되는 짓인 줄 알았으면 안 하려고 해야 되는데,

눈치 보며 안 걸리게, 교묘하게 하려고 그래.
법을 이용해서 빠져나가고
당당하게 큰소리까지 치면서,

나쁜 놈의 새끼들이,

근데 또, 저런 나쁜 놈들을 제대로 처벌도 못 해
무능한 놈들이,

그렇다고 이딴 세상을 또 바꾸지도, 받아들이지도 못 해
한심한 나란 놈은,

에이 씨… 안 취했어, 나.

"주문"

"별일 아닙니다. 다 괜찮을 겁니다."
이런 주문을 자꾸 되뇌게 되는 요즘입니다.

세상일이 다 그렇기도 하고,
이런 되뇜 외에는 달리 방법이 없기 때문이기도 합니다.

"별일 아닙니다. 다 괜찮을 겁니다."

"평범한 사람"

아픈 감정 앞에서 사람이 할 수 있는 것은 '딱히' 없습니다.

할 수 있는 것은 그저, 이 감정이 시간에 희석되어 흐릿해질 때까지 뒤척이고

또 뒤척이는 것밖에 없는 것 같습니다.

어느 영화 속 주인공처럼, 시간을 조절하는 능력이라도 있다면

시간을 빠르게 돌려 희석의 시간이라도 앞당길 수 있을 텐데요.

전 그저 평범한 사람이기에 제가 할 수 있는 것이라고는

뒤척이는 것 외에는 딱히 없습니다.

"이유"

어떤 아픔인지, 어떤 절망인지 모르기에
어떤 위로도 해드릴 수가 없어요.
위로를 한다고 해도 와닿지 않을 테죠.

그래서 할 수 있는 말이, 당신께 꼭 전하고 싶은 말이,
이 말밖에는 없네요.

'죽지 마세요'

죽지 말아야 할 이유를 찾을 수 없을 테죠.
그렇다 해도 죽지 마세요.

일어나버린 모든 일들이,
잘못되어버린 모든 것들이
당신 잘못이 아니에요.

그러니,
'제발, 죽지 마세요.'

기어이 가시려거든,
오늘 말고 내일 가세요.
그때 가도 늦지 않잖아요.

매일, 딱 하루씩만 미뤄요.
내일은 또 내일, 그리고 또 내일.

그렇게 하루 이틀 미뤄가는 동안,
당신이 죽어야 할 이유 또한 하나, 둘 사라져가기를,
그래서 언젠가 어느 거리에서 우리가 서로의 곁을 지나쳐 가기를,
우리 서로 이 세상을 잘 살아나가고 있기를
진심으로 바래봅니다.

"사람"

'사람이 어떻게 그래?'가 아니라

'사람이니까 그럴 수 있지.'는 어떨까요?

저는 사람이란 존재가 강인하고 항상 올바른 존재는 아니라고 생각합니다.

너무 자책하지도 말고 타인을 너무 질책하지도 말았으면 해요.

'괜찮아요. 다 그럴 수 있는 겁니다.'

"Play List 02"

제목: 희망고문

아티스트: Nell

뭔가 좀 답답해

숨을 쉬고 있어도 숨이 막혀 호흡이 가빠

하루가 멀다 하고 넘어지기에 바빠

삶의 무게가 어깨를 짓눌러

분명 휴식이 필요해

숨 쉴 공간이 필요해

좋은 대화가 필요해

나쁘지 않은 낯설음과 느리게 가는 그 시간과 좋은 술 한잔이 필요해

우리 지금 이대로 떠나버릴까

잠시 다 내려놓고 훌쩍 떠날까

어디든 좋으니까 잠시 다 잊고

우리 지금 이대로 떠나버릴까

그래 버릴까···

"안간힘"

새벽 두 시, 일을 마치고 돌아와

격하게 반겨주는 반려견 두부와의 격정적인 입맞춤을 나누고서

샤워를 하고 잠들기 전 단 10분이라도 글을 쓰거나 낙서를 해 봅니다.

바쁘게 일만 하다가 잠드는 것은 뭔가 손해 보는 기분이 들어서요.

일을 하고 돈을 버는 사람이기도 하지만

생각을 하고 글을 쓰고 그림을 그리는 사람이고 싶기도 해서요.

훗날 돌아봤을 때

눈앞의 현실만 보며 살았구나 하는 후회는 하고 싶지 않아서요.

그래서 안간힘이나마 써보고 있습니다.

"조화"

하루를 마치고 잠자리에 들 때면,
가끔씩 상상을 해보곤 합니다.

불을 끄고 누워, 고요한 어둠 속에서 죽음의 순간을 떠올려보는 것이죠.

"오늘 이 시간을 마지막으로 난 이 세상을 떠난다."라며
두 눈을 감고 숨을 몇 번 고르고 있노라면,
정말 신기한 의식의 변화를 경험하게 됩니다.

돈을 버는 일, 먹고 사는 일로 가득 찼던 그동안의 시간들은
죽음 앞에서 1도 생각나지 않더라구요.
생각만 한 채 묻어왔던 일들,
그렇게 흘려보냈던 시간들만 떠올랐습니다.

사람이 내일 당장 죽는 것도 아니고
먹고 살아야 하는 숙제를 가벼이 여길 수는 없습니다.

하지만 또, 언제 죽을지 모르는 것이 사람이니
마지막 순간에 "잘 살았다."라며 미소 지을 수 있는 삶,
그것에 대한 고민과 행동도 필요하지 않을까?
하는 생각이 듭니다.

여러분의 상상 속에서 자신의 마지막 순간은 어떤가요?
미소 짓고 있나요?

사는 동안과 삶의 끝 순간이 서로 조화를 이룰 수 있는 내일이 되시길 바랍니다.

"고백"

맑은 하늘에 하얀 구름들이
유유자적하며 게으름 피우는 날.
옅은 노을이 살짝 곁들여지는 너무 늦지 않은 오후에
우두커니 앉아 조용히 불어오는 바람을 느끼고 있노라면,

그동안 들키지 않으려 꼭꼭 감춰왔던 사실들을
순순히 털어놓게 됩니다.

"있잖아. 나,

모든 것에 어리숙하고 서툴렀던 것 같아.

그래서 두려웠었고, 덜컥 겁이 났었나 봐.

또, 그런 나를 감추려고 아닌 척, 강한 척, 고집만 부리고···

나도 나를 잘 모르겠는데··· 아무튼 그랬던 것 같아.

강하지도 못했고 솔직하지도 못했고

참 바보 같았어.

정말 미안해."

이렇게 지난날의 내가 지금의 나에게 고백을 해 옵니다.

그러면 나는 웃는 얼굴로 대답해 줍니다.

"힘들었을 텐데 솔직히 말해줘서 고마워.

그리고 괜찮아.

음… 이건 비밀인데, 너만 그런 게 아니라 남들도 다 그렇게 살아~

누구나 다 그럴 때가 있는 거고 너 역시 지금껏 잘해 온 거야.

별일 아니야~ 정말 괜찮아~"

그러면 지난날의 녀석은 그제야 푹 숙이고 있던 고개를 듭니다.
그리고 앞니 빠진 어린애의 미소처럼 순박하고 맑은,
조금은 겸연쩍은 미소를 지어 보입니다.

시간이 지나고 지금의 나는 또, 훗날 언젠가의 나에게 이렇게 고백하겠지요?
그때의 나는 지금의 나처럼 또, 지난날의 나를 다독여 안아주겠지요?

그래 줬으면 좋겠습니다.

"브랜드"

곰표맥주, BYC맥주, 오뚜기케찹 볶음면,
삼육두유 웨하스, 빼빼로 꼬깔콘,
죠스맛 젤리, 참깨라면맛 야채타임,
고향만두칩, 동원참치 단백질바, 아침햇살맛 젤리 등등등

요즘 식품업계는 여러 제품과의 콜라보를 통해서
다양한 변신을 꾀하고 있습니다.

식품업계뿐만 아니라, 다양한 산업 분야에서 변화의 시대를
맞이하고 있다는 것은 부정할 수 없는 것 같습니다.

또, 그 무엇도 확신할 수 없는 시대이지만 지금껏 해왔던 방식으로는
앞으로를 계속 살아 나갈 수 없다는 것만큼은 확실한 것 같습니다.

지금까지의 삶의 방식을 탈피하여 새로운 삶을 도전하고자 하는 당신.
당신이야말로 이 시대에 적합한 삶의 자세를 갖춘 사람일지도 모릅니다.

그리고 위 콜라보의 사례처럼 한 가지 강점만을 내세우는 것이 아닌,
서로 다른 요소들 간의 타협과 화합이 그 새로운 삶의 열쇠가 될지도
모르겠습니다.

당신이라는 브랜드의 멋진 변신을 응원하고 기대합니다.

"chef"

달고 짠 설탕과 소금은 우리 몸에 좋지 않다고 하죠.
하지만, 조리과정에 있어서 어떤 온도에서
어떤 재료와 함께 조리되느냐에 따라,
어느 정도 가미되느냐에 따라,
달작지근하면서 짭조름한, 맛깔나는 요리가 만들어집니다.

사랑도 마찬가지 아닐까요?
나의 단점, 안 좋은 점들도 어떤 상황에서
얼마만큼 절제되어 보여지느냐에 따라
긍정적인 결과를 만든 적이 있지 않나요?

안 좋은 것이 무조건 안 좋기만 한 것은 아닌 것 같아요.

내 안의 재료들과 상황을 잘 조절해서
나라는 요리를 맛깔나게 조리하는 셰프가 되시기를 바랍니다.

"꽃길"

"꽃길만 걷자."
라는 말이 있죠.

인생길에 꽃만 가득할 수 있겠냐마는,
꽃 한 송이, 두 송이 심으며 나아갈 수는 있지 않을까요?

아, 꽃을 심는 사람들이 많아지면,
언젠가 꽃으로만 가득한 세상이 올 수도 있겠군요.
그렇다면 정말로 꽃길만 걸을 날이 올 수도 있겠네요.

꽃을 심는 사람들이 많아지는 세상을 꿈꿔봅니다.

"건강"

건강한 육체란,

병원균이 없는 무균 상태의 육체가 아니라

적당한 병균이 있더라도 그에 맞서는 항체가 많아서

면역력이 강한 육체를 말합니다.

삶도 비슷하지 않나요?

스트레스와 아무런 문제 요인이 없는 삶이 아니라

이를 견뎌내는 내성이 있는 삶.

이것이 건강한 삶 아닐까요?

힘든 일들을 잘 견뎌 나가고 있다면,

건강한 삶을 살아가고 있다는 것일 테고,

건강한 삶을 살아가고 있다면,

꽤나 괜찮은 삶 아닐까요?

여러분 건강하세요.

"노릇노릇"

아들 노릇, 딸 노릇,

형 노릇, 누나 노릇, 동생 노릇,

애비 노릇, 애미 노릇,

할애비 노릇, 할애미 노릇.

노릇, 노릇, 노릇,

나이를 먹으며, 나잇값에 맞는 노릇을 하느라

시름시름 앓는 게 우리네 인생이리라······.

노을 지는 한강변에 앉아 가만히 숨을 들이켜보니,

뜨거운 삶의 열기에 노릇노릇〜 익어가는 고소한 냄새가 가득하네요.

우리네 인생이 맛있게 잘 익어가고 있는 것 같습니다.

모두 존경스럽습니다. 힘내세요.

"Play List 03"

제목: 고등어

아티스트: Lucid Fall

몇 만원이 넘는다는 서울의 꽃등심보다

맛도 없고 비린지는 몰라도

그래도 나는 안다네

그동안 내가 지켜온

수많은 가족들의 저녁 밥상

나를 고를 때면 내 눈을 바라봐줘요

난 눈을 감는 법도 몰라요

가난한 그대 날 골라줘서 고마워요

수고했어요 오늘 이 하루도

고등어—Lucid Fall

〈The End〉

— 이 책을 마치며 —

도서 기획부터 글쓰기, 편집 디자인 및 제작, 인쇄와 출판에 이르기까지
저에게는 이 책을 만들기 위한 모든 것이 처음이었습니다.
그런 만큼 그 과정은 제가 얼마나 부족한 사람인지를 자각하는 순간들로
가득했습니다.

책의 완성은 당초 계획보다 1년이나 늦어지게 되었고 그동안 때려치울까
하는 생각을 몇 번이나 했는지 헤아릴 수도 없을 정도였습니다.

결과적으로는 부족한 부분들을 잘 극복하여, 그 시간을 잘 헤쳐나왔고
딱 그만큼 스스로 성장했다고 생각합니다.
완벽하지는 못해도 만족스럽습니다.

그동안 저의 미흡함을 인지 시켜주시고 함께 고민해 주셨던 분들과
비싼 돈과 그보다도 값진 시간을 들여서 이 책을 마주해 주신 분들께
진심으로 감사한 마음을 전합니다.

저는 이번 작업으로 미처 채우지 못한 제 자신의 미숙한 부분들을
들여다보고 성장시키며 살아가도록 하겠습니다.
그리고 어딘가에서 열심히 살아가며 성장해 나가고 있을 여러분들을
응원하겠습니다.

언제 어떤 모습으로든 우리 또 만나요.
그때까지 건강하세요.

Socrapig 잡담집

초판 1쇄 발행 2023년 7월 1일
지은이 장영훈
일러스트 GGOLTONG

기획 · 마케팅 정태희
편집 · 디자인 장영훈
펴낸이 장영훈
펴낸곳 Studio DUBU(스튜디오 두부)

출판등록 2023년 4월 3일 제2023-000009호
주소 경기도 양평군 양평읍 도곡로 114번길 7-10
ISBN 979-11-982989-0-4 (02810)

이메일 studiodubu@gmail.com
인스타그램 instagram.com/studiodubu/